P9-BZS-773

¡Shhh!
Mi hermano está durmiendo

Ruth Ohi

Para Kaarel

¡Shhh! Mi hermano está durmiendo.
Necesitaba echarse su siestecita.
Estaba protestando como un viejo cascarrabias,
y ahora ha caído frito.

Cuando duerme hace mucho ruido.
Tiene la boca abierta de par en par
pero mamá me ha prohibido
que le meta cosas dentro.

¡Shhh! que tu hermano está durmiendo.

Debemos tener mucho cuidado
y hacer todo lo posible
para que la casa esté en silencio
y mi hermano descanse.

¡Shhh! que tu hermano está durmiendo.

Leer cuentos es muy relajante.
Leer me calma y me hace soñar.

A no ser que una parte del cuento me dé miedo, comience a correr y...

¡Shhh! que tu hermano está durmiendo.

Pintar es muy relajante.
Coloreo los dibujos con colores brillantes.

Pero mamá dice que mantenga el arte
alejado de la cara de mi hermano.

¡Shhh! que tu hermano está durmiendo.

Así que jugaré tranquilamente
y construiré mi propia ciudad.

19

Los libros y las piezas de construcción
están muy bien alineados.
A no ser que...

¡Pataplaffff!

Yo no quería despertarlo,
siento haber hecho ruido.
Pero ahora que mi hermano se ha despertado
recogeremos juntos todos los juguetes.

¡Shhh! Mi hermano está durmiendo.

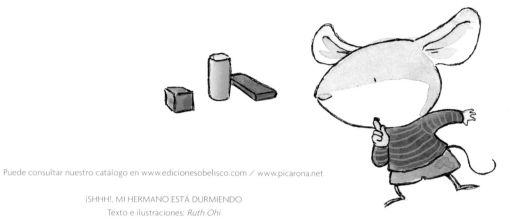

Puede consultar nuestro catálogo en www.edicionesobelisco.com / www.picarona.net

¡SHHH!, MI HERMANO ESTÁ DURMIENDO
Texto e ilustraciones: *Ruth Ohi*

1.ª edición: enero de 2016

Título original: *Shh! My Brother's Napping*

Traducción: *Joana Delgado*
Maquetación: *Marta Rovira Pons*
Corrección: *M.ª Ángeles Olivera*

© 2014, Ruth Ohi
(Reservados todos los derechos)
Derechos de traducción gestionados a través de Scholastic Canada Ltd
y Sandra Bruna Ag. Lit.
© 2016, Ediciones Obelisco, S. L.
(Reservados los derechos para la lengua española)

Edita: Picarona, sello infantil de Ediciones Obelisco, S. L.
Pere IV, 78 (Edif. Pedro IV) 3.ª planta, 5.ª puerta
08005 Barcelona - España
Tel. 93 309 85 25 - Fax 93 309 85 23
E-mail: picarona@picarona.net

ISBN: 978-84-16117-69-7
Depósito Legal: B-22.313-2015

Printed in India

Reservados todos los derechos. Ninguna parte de esta publicación, incluido el diseño
de la cubierta, puede ser reproducida, almacenada, transmitida o utilizada en manera
alguna por ningún medio, ya sea electrónico, químico, mecánico, óptico, de grabación
o electrográfico, sin el previo consentimiento por escrito del editor. Diríjase a CEDRO
(Centro Español de Derechos Reprográficos, www.cedro.org) si necesita
fotocopiar o escanear algún fragmento de esta obra.

31192021056997